U0147924

我的魔法箱

文／鄭如安、陳玟如、蘇維凱　圖／張梅地

凡事都可以有個新的開始

雖然有些事物變得不一樣了

但這個不一樣就是一個新視野

「我的魔法箱」是兒童的一個新決定

「我的魔法箱」是兒童可以掌控的世界

「我的魔法箱」是兒童收藏回憶、希望和未來的珍貴寶盒

這一次我把東西放在魔法箱裡

很安全

因為我也會守著它

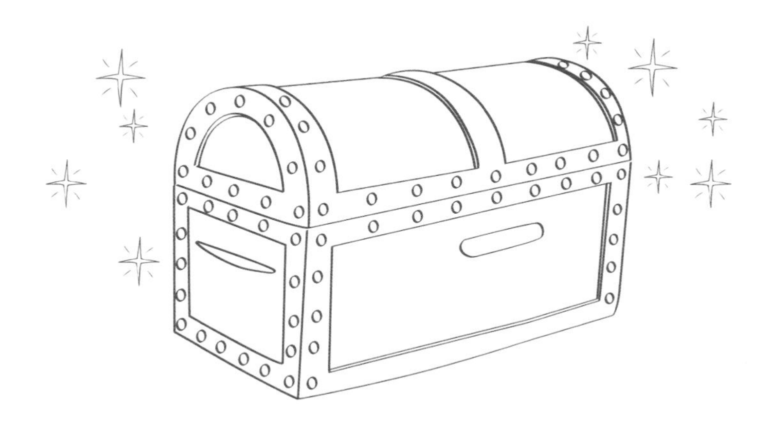

讓你我都為兒童創造一個屬於他自己的魔法箱

兒童會守著屬於他的魔法箱

關於本書

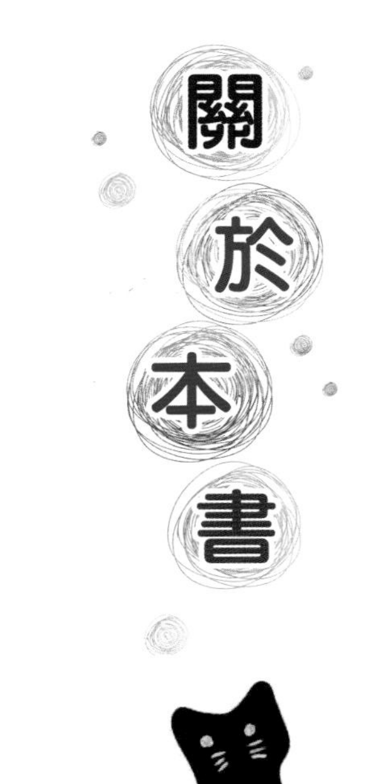

人有悲歡離合　有時無奈
但是
我們可以積極的面對這些無奈
因為
我們心中都存在著一個魔法箱
魔法箱可以讓美好的感覺一直存在
魔法箱可以收藏著我和某個人
幸福　快樂　且刻骨銘心的回憶

這個回憶
可能是一首歌
可能是一朵花
可能是一個味道
可能是一次的旅遊
可能是在冷冷風中的一次等待
可能是一個有紀念性的筆　項鍊　手鐲　鑰匙圈

這一次我要準備一個魔法箱
將這些看似平常　卻又不凡的事物與回憶
通通存放在我的魔法箱
然後
好好地守著我的魔法箱
永遠永恆地守著我的魔法箱

相信魔法箱會讓生命充滿新的希望
好運會發生　事情會變好

這是一部相機，
爸爸喜歡用它來
拍照。

CANON LENS FD 50mm 1:1.4
JAPAN

我和弟弟喜歡比賽
誰的牙齒刷得
比較乾淨。

這是我的小熊，
每天陪我說話，
是我的好朋友。

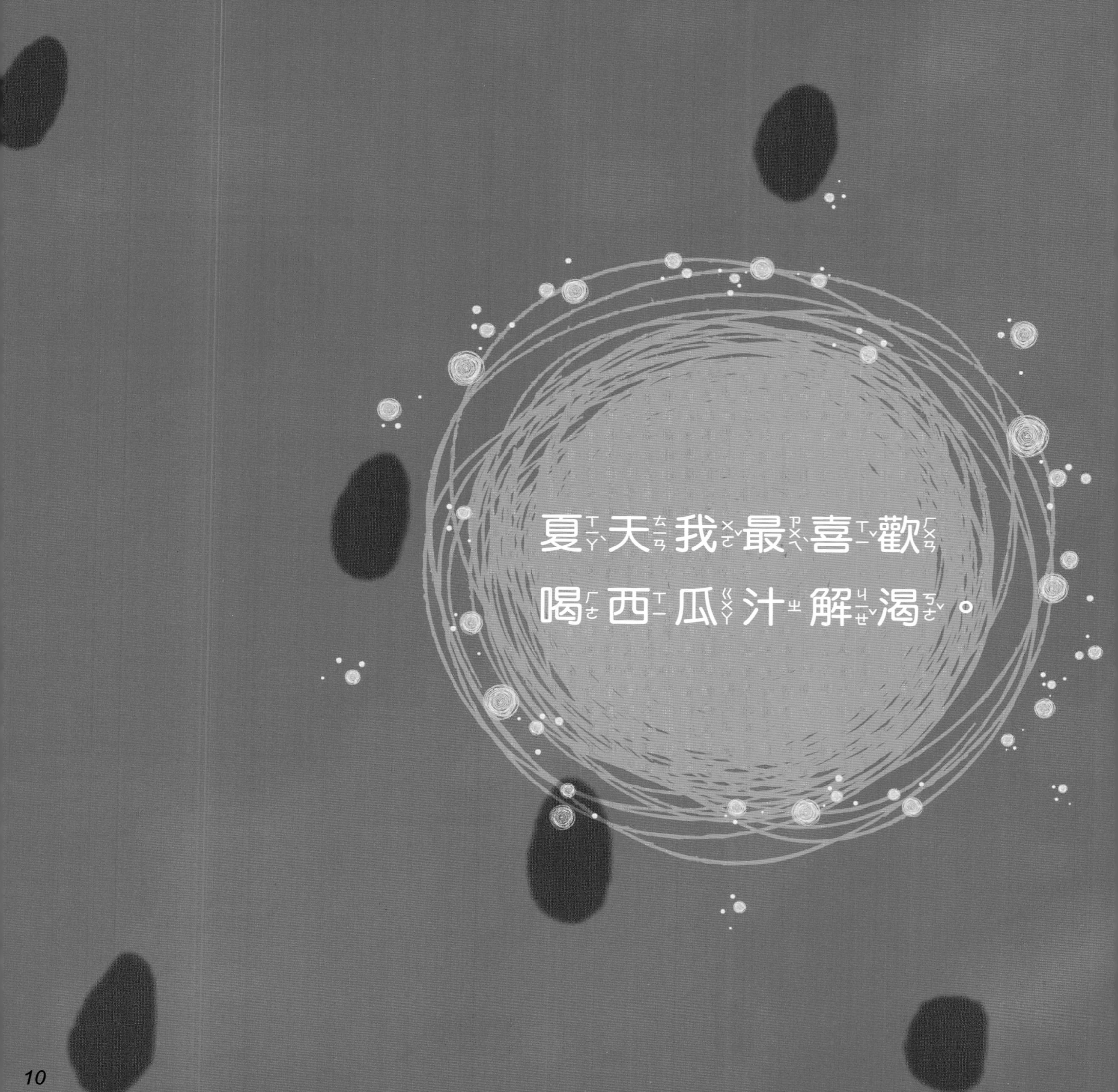

夏天我最喜歡喝西瓜汁解渴。

小黑最喜歡
懶洋洋的
躺在沙發上。

衣櫃裡有好多

漂亮的衣服，

是媽媽為我買的。

svolme
svolme

餐桌上的花瓶裡
放了奶奶從院子裡
採下的小花。

中華民國郵票
REPUBLIC OF CHINA

這是我的家！
保護我，
讓我不怕風雨。

對了！

客廳裡還有很多

我的家人和好朋友

的照片。

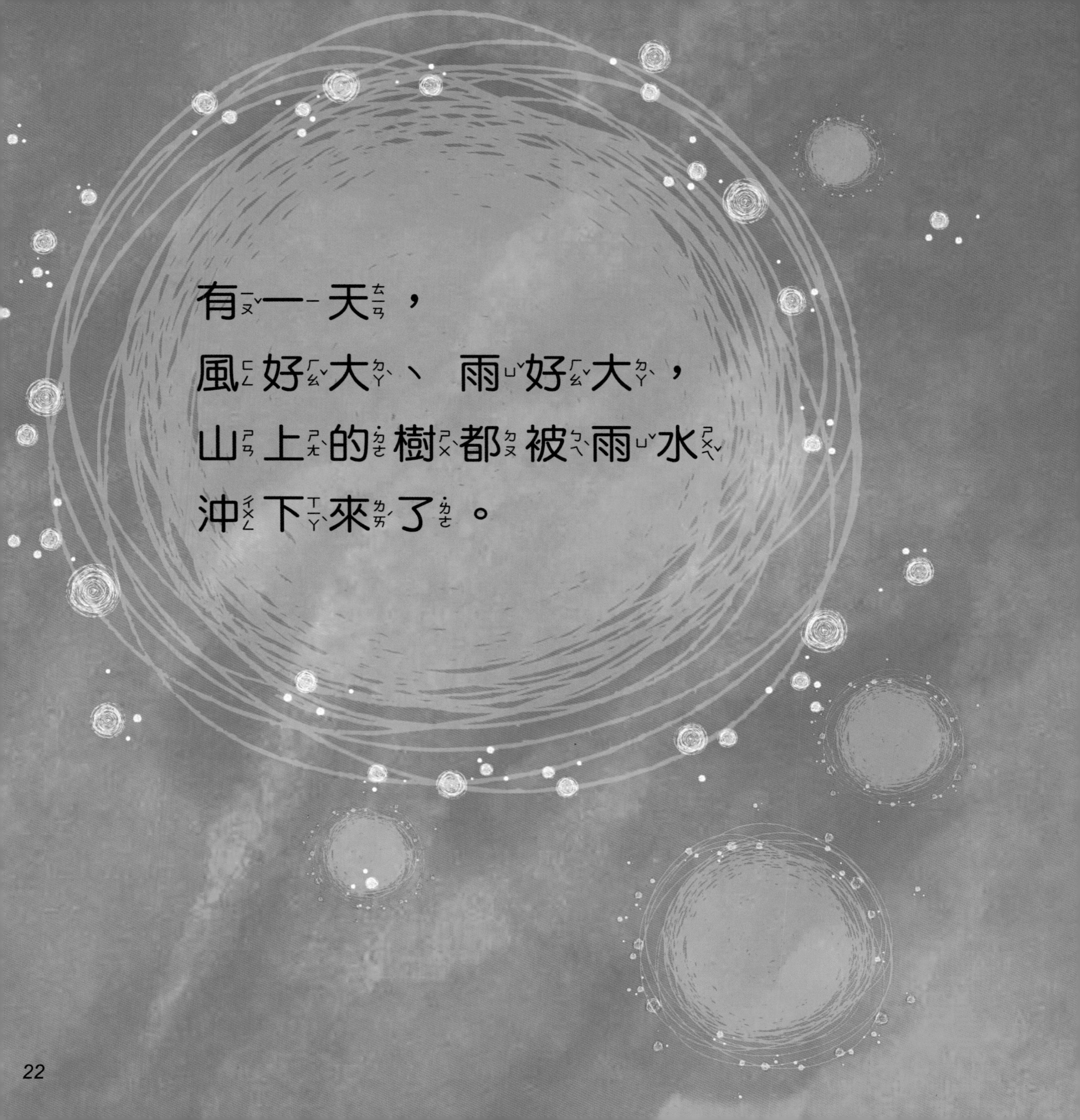

有一天，

風好大、雨好大，

山上的樹都被雨水

沖下來了。

我ㄨㄛˇ的ㄉㄜ˙牙ㄧㄚˊ刷ㄕㄨ、
我ㄨㄛˇ的ㄉㄜ˙衣ㄧ服ㄈㄨˊ、
我ㄨㄛˇ的ㄉㄜ˙小ㄒㄧㄠˇ熊ㄒㄩㄥˊ、
院ㄩㄢˋ子ㄗ˙裡ㄌㄧˇ的ㄉㄜ˙花ㄏㄨㄚ、
我ㄨㄛˇ們ㄇㄣ˙的ㄉㄜ˙房ㄈㄤˊ子ㄗ˙，
都ㄉㄡ被ㄅㄟˋ沖ㄔㄨㄥ走ㄗㄡˇ了ㄌㄜ˙！

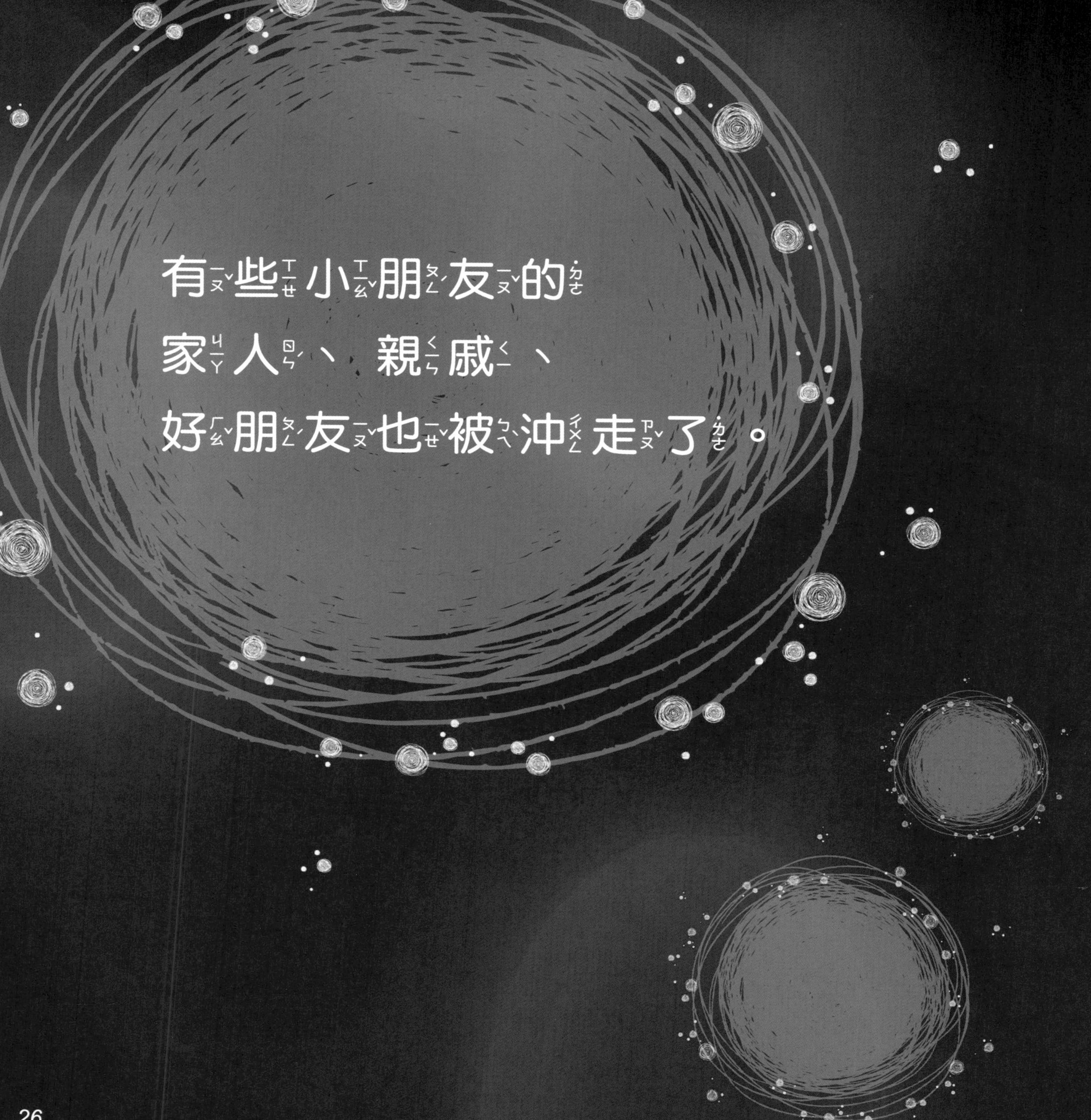

有些小朋友的
家人、親戚、
好朋友也被沖走了。

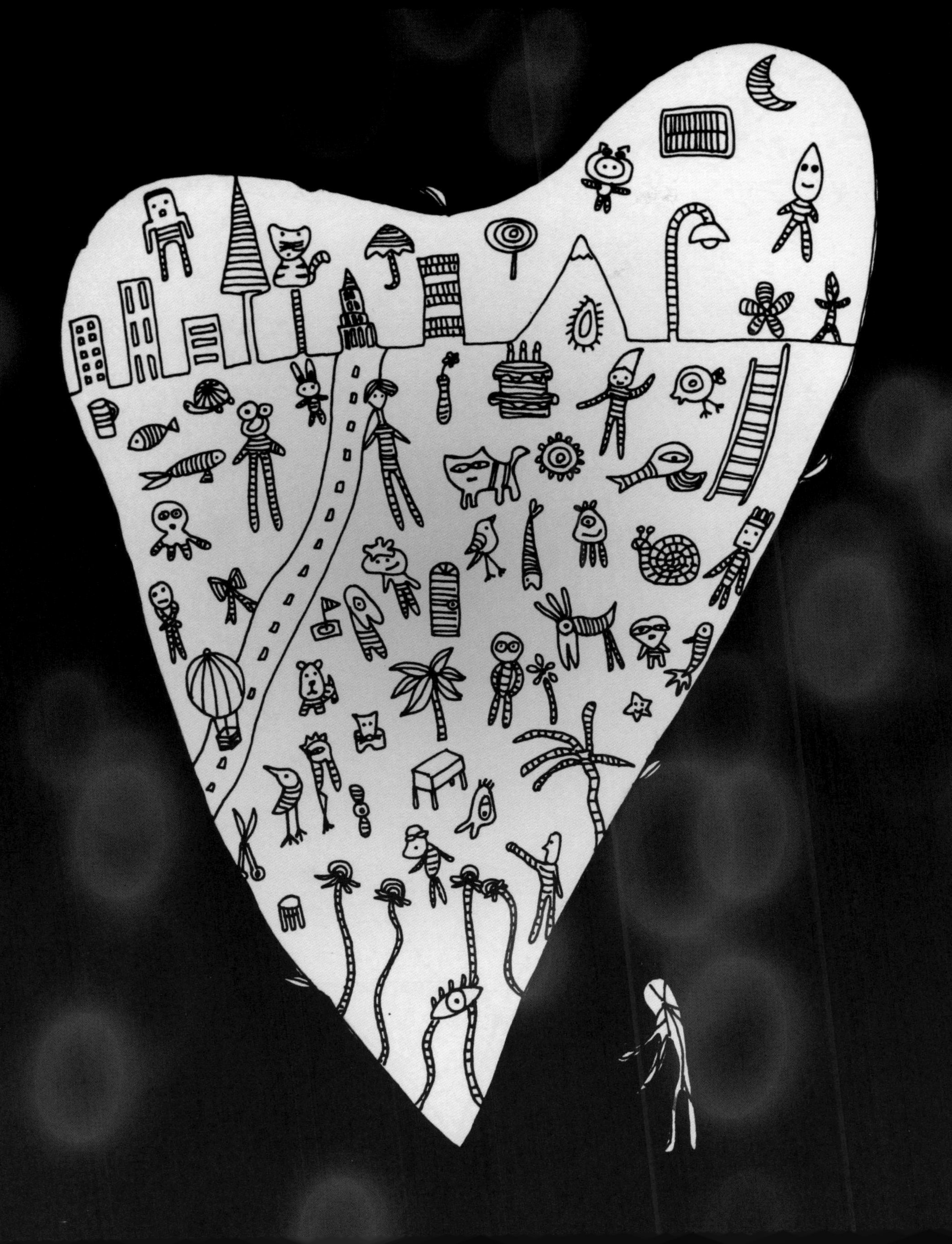

我開始變得
不舒服，
一想到過去的事
就變得
很難過、 想哭。

只要一有
颱風或下雨，
我都會
好緊張、好害怕。

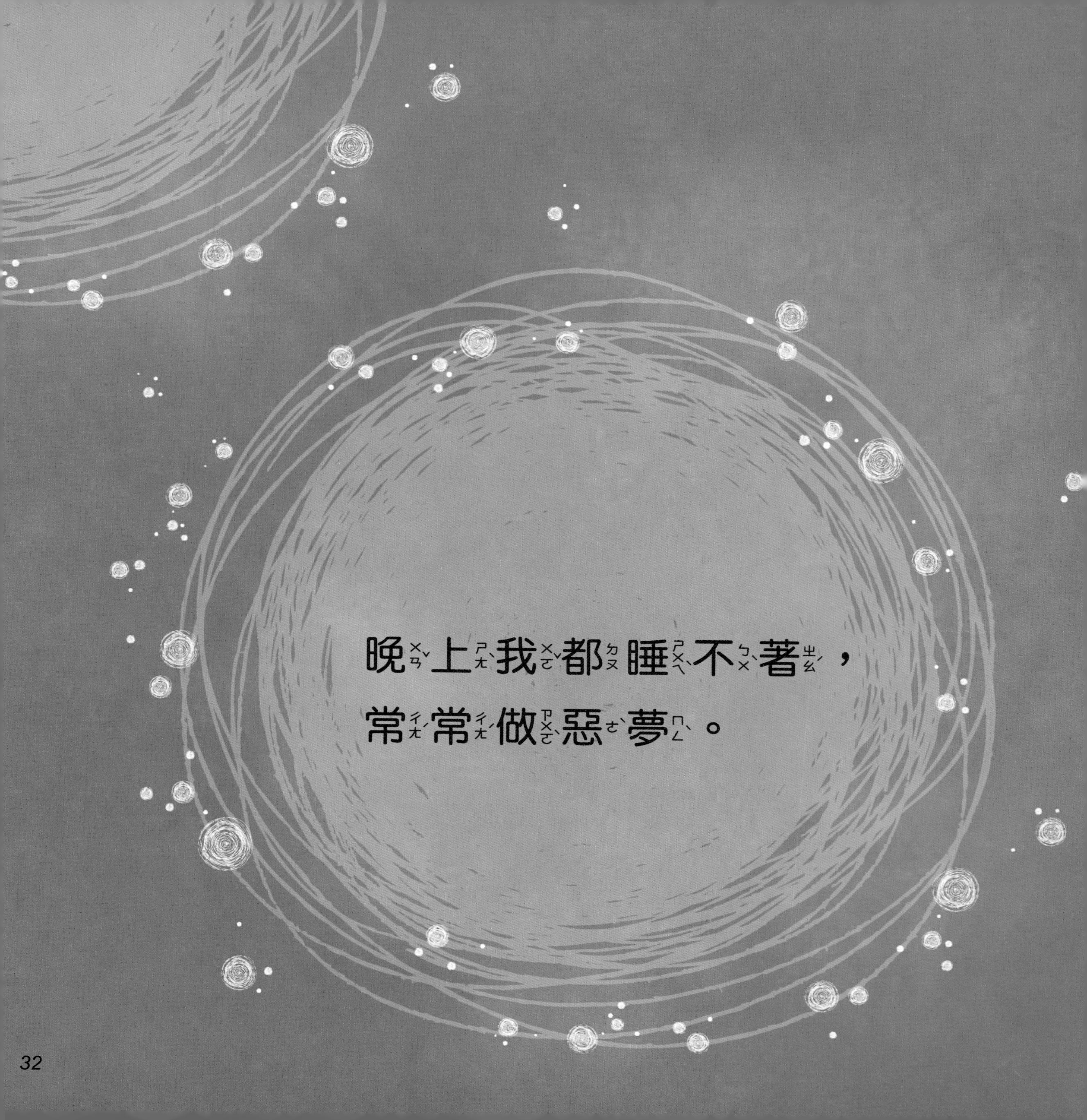

晚ㄨㄢˇ上ㄕㄤˋ我ㄨㄛˇ都ㄉㄡ睡ㄕㄨㄟˋ不ㄅㄨˋ著ㄓㄠˊ，
常ㄔㄤˊ常ㄔㄤˊ做ㄗㄨㄛˋ惡ㄜˋ夢ㄇㄥˋ。

我常覺得
那天的事還會發生，
頭腦亂亂的，
上課也沒辦法專心。

有一天，

有人送我

一隻小狗。

12
3
9
6

我想我可以
把牠拍下來，
這次，我要自己拍。
拿穩相機，
對準，按下。
喀嚓！

1 2 3 4 5 6 7
8 7 6 5 4 3 2 1
7 6 5 4 3 2 1

我把新的東西
通通拍下來。

雖然他們
看起來和以前
不太一樣。

10

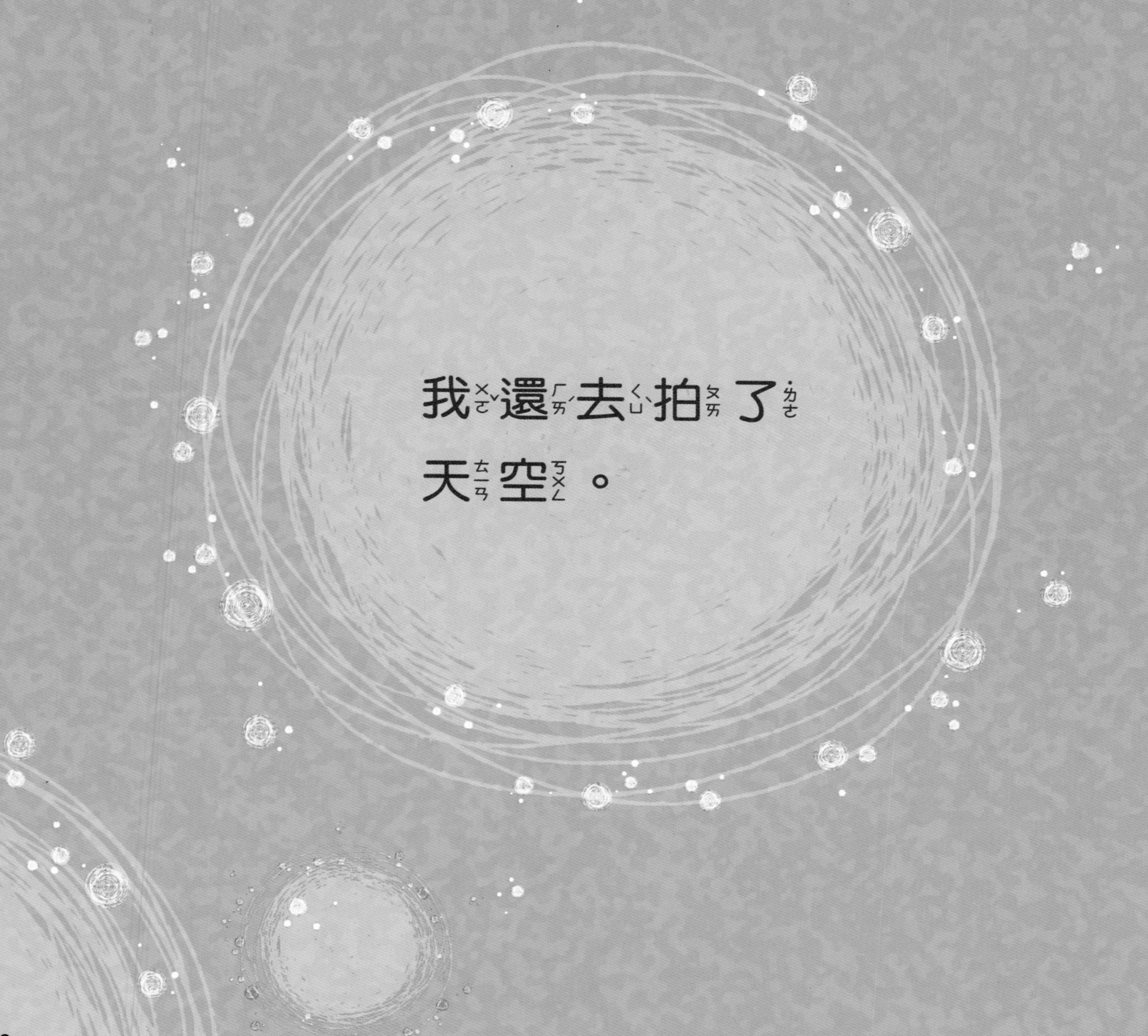

我還去拍了天空。

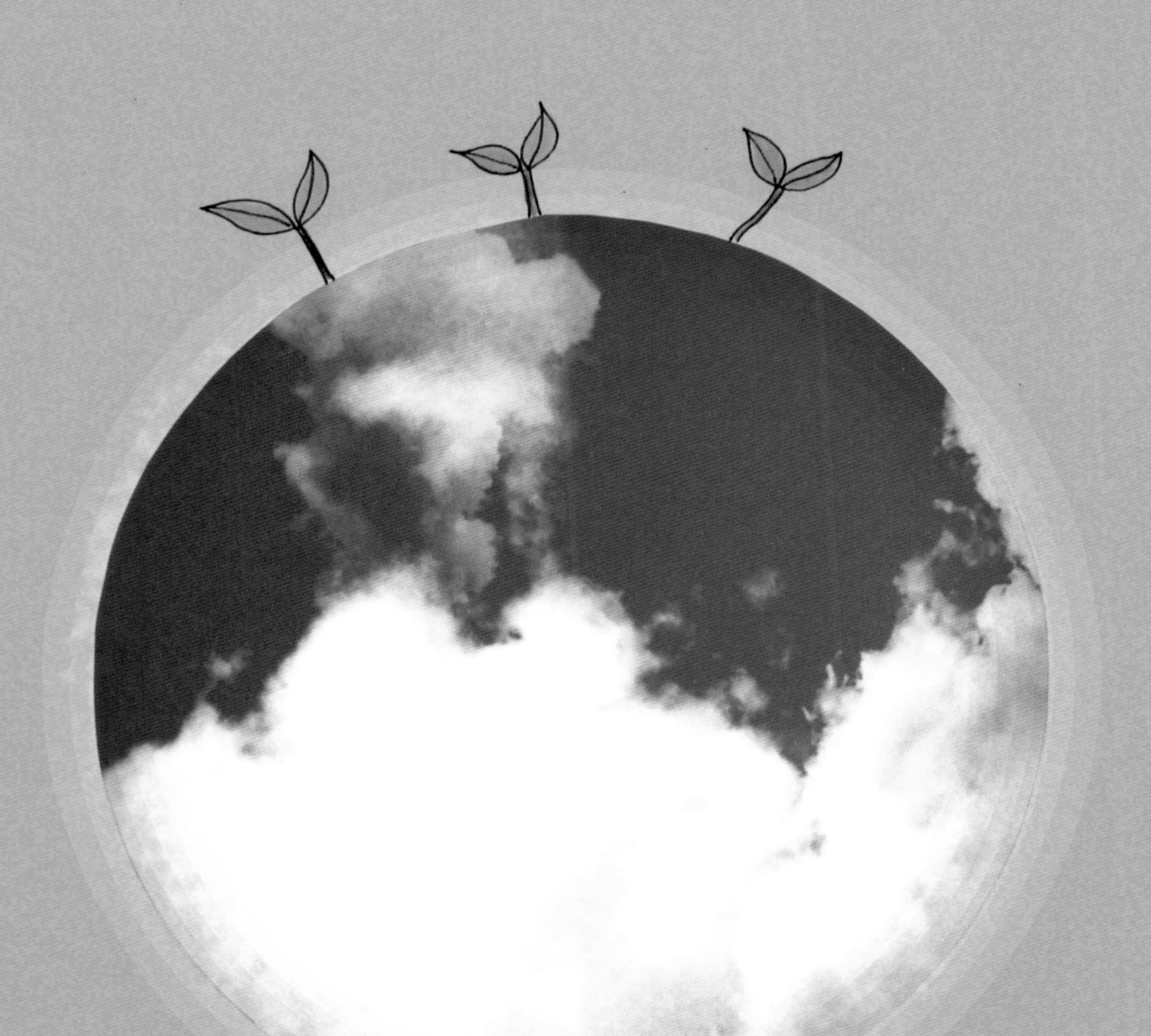

媽媽說，
離開的人，
會一直在天上
守護著他愛的人。

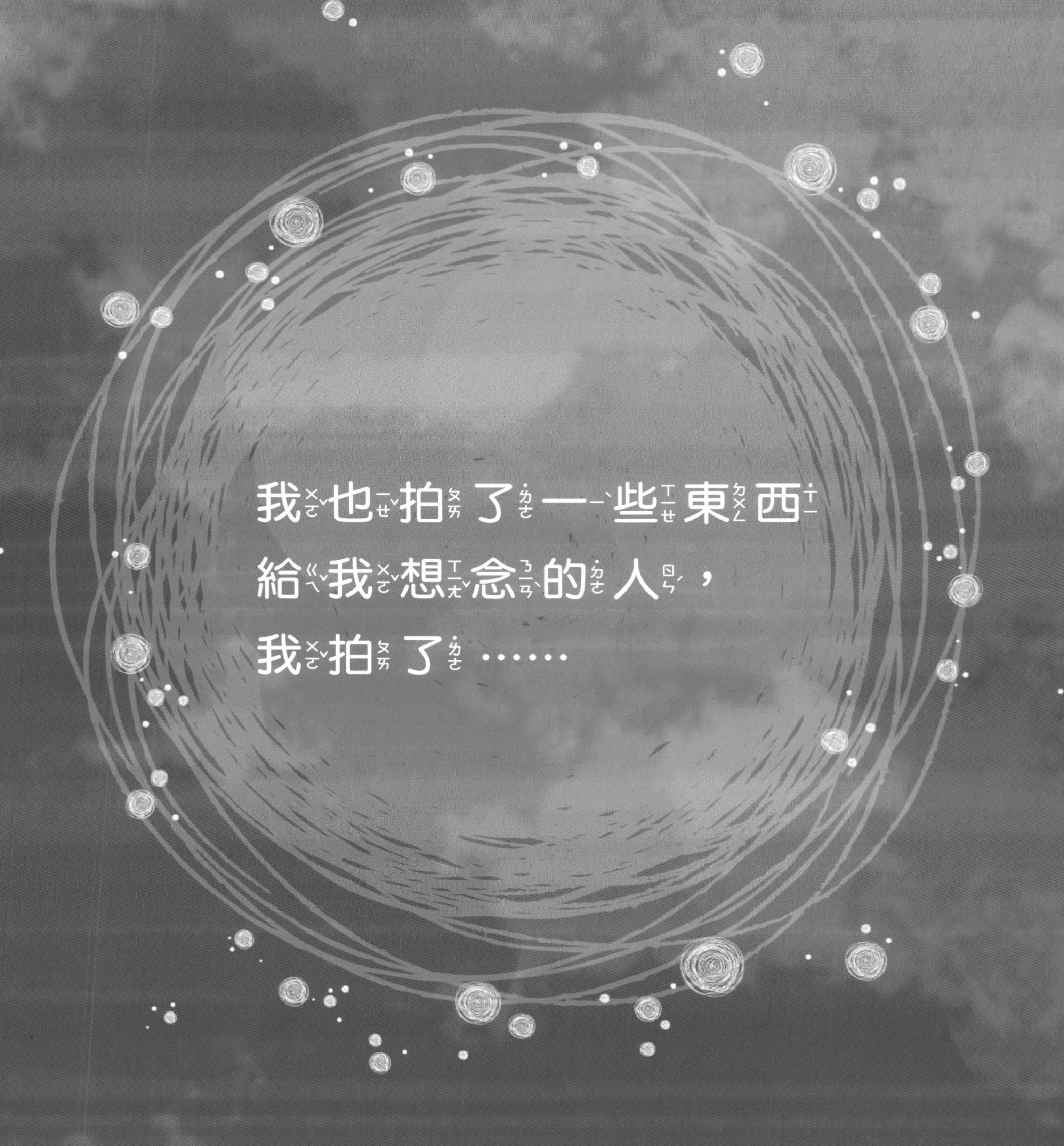

我也拍了一些東西
給我想念的人，
我拍了……

我^{ㄨㄛˇ}寫^{ㄒㄧㄝˇ}下^{ㄒㄧㄚˋ}一一些^{ㄒㄧㄝ}
想^{ㄒㄧㄤˇ}念^{ㄋㄧㄢˋ}和^{ㄏㄢˋ}祝^{ㄓㄨˋ}福^{ㄈㄨˊ}的^{ㄉㄜ˙}話^{ㄏㄨㄚˋ}

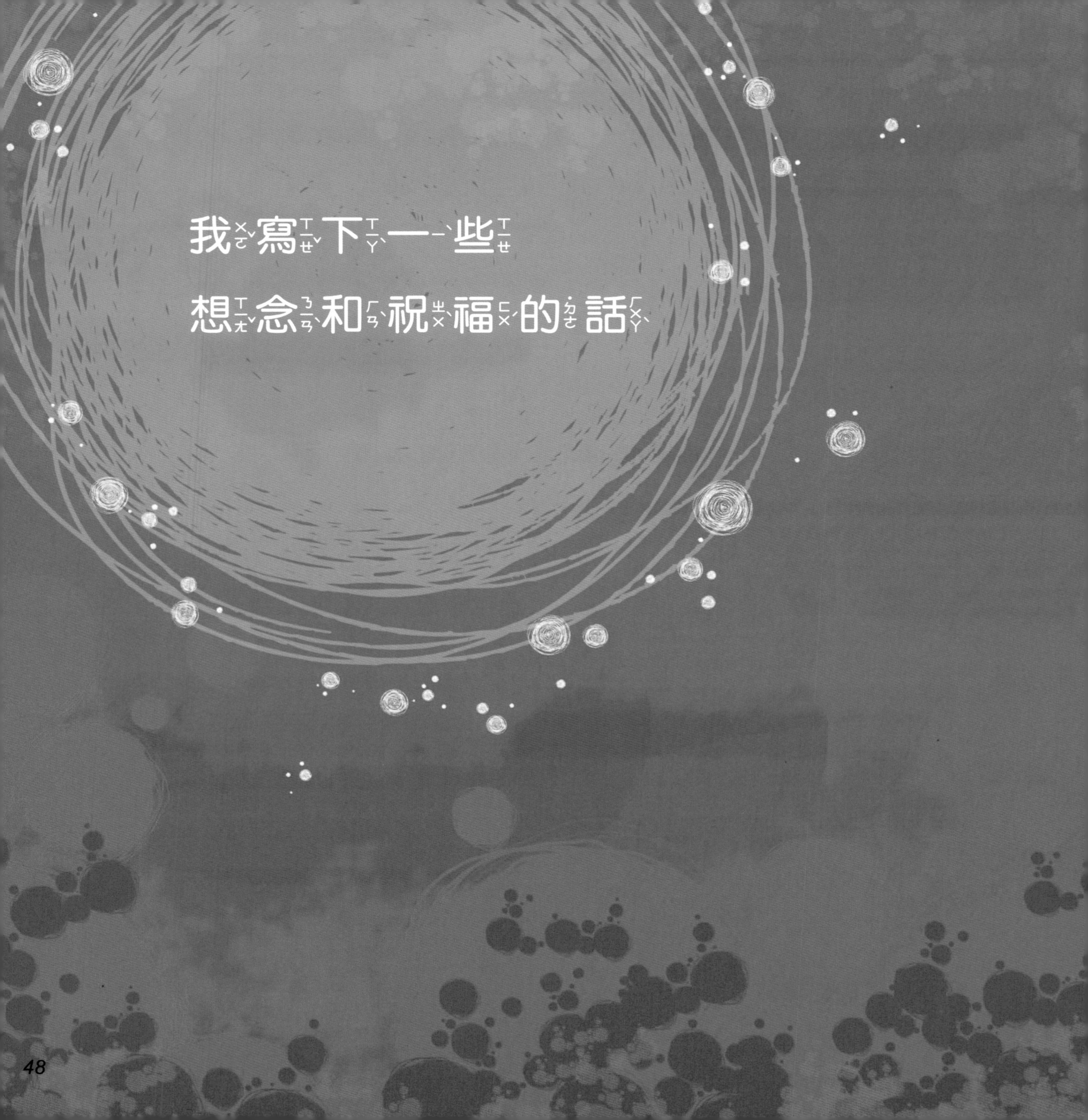